Liliane Dias

DIÁRIO de um JOVEM celular

EDITORA
Labrador

Copyright © 2018 de Liliane Dias
Todos os direitos desta edição reservados à Editora Labrador.

Coordenação editorial
Diana Szylit

Capa
Felipe Rosa

Projeto gráfico e diagramação
Antonio Kehl

Revisão
Paula Nogueira
Daniela Georgeto

Ilustrações
Anna Brandão

Dados Internacionais de Catalogação na Publicação (CIP)
Angelica Ilacqua CRB-8/7057

Dias, Liliane
 Diário de um jovem celular / Liliane Dias. – São Paulo : Labrador, 2018.
 66 p. : il.

ISBN 978-85-87740-31-1

1. Literatura infantojuvenil I. Título.

18-1805 CDD 028.5

Índice para catálogo sistemático:
1. Literatura infantojuvenil

Editora Labrador
Diretor editorial: Daniel Pinsky
Rua Dr. José Elias, 520 – Alto da Lapa
05083-030 – São Paulo – SP
Telefone: +55 (11) 3641-7446
contato@editoralabrador.com.br
www.editoralabrador.com.br

A reprodução de qualquer parte desta obra é ilegal e configura uma apropriação indevida dos direitos intelectuais e patrimoniais da autora.

A editora não é responsável pelo conteúdo deste livro.
A autora conhece os fatos narrados, pelos quais é responsável, assim como se responsabiliza pelos juízos emitidos.

Dedico este livro à memória
de minhas gerações anteriores,
representadas pelas minhas
amadas avós, Quitéria Maria e
Wanilda Rêgo, e às crianças que
me ensinam a sonhar, em especial
meus filhos, Nathan e Luna.

Sumário

Uma nova amizade 7
Repaginada no som 13
Virose de celular 17
Desabafo 19
Celular vai ao banheiro? 28
Roupa nova 34
O mistério do suor 38
Celular vs. prova 42
O grande campo de flores 44
A conversa sem conversa 48
O início do fim 54
O sucessor 57
O grande sonho se torna real 58

Uma nova amizade
13 de abril

Di... Di..., não, acho melhor "cara", ou melhor... "amigão", pronto! Vou te chamar de amigão, de cara e de tudo o mais que lembrar amizade e proximidade, sei várias gírias, acho que devemos conhecer um pouco de todos os tipos de comunicação, até porque esse negócio de "Querido diário" não é a minha praia, se bem que celular quando vai à praia é para torrar no sol, se sujar de areia, ou pior, ficar no escuro de qualquer bolsa, dividindo espaço com o protetor solar, que pode vazar a qualquer momento, não gosto nem de pensar.

Está surpreso em me ver por aqui? É, eu sei, celular tem mais a ver com blog, não com diário, mas eu escolhi você, tenho uma quedinha pelas coisas tradicionais, mais antigas, acho que elas já provaram seu valor, já deram certo, então se sinta um privilegiado, desejo algo só meu e seu. Quero digitar todos os dias, contar-lhe os meus maiores segredos, sei que ficarão em segurança.

Eu até tive uma amiga com quem vivi muitos momentos legais, e a grande maioria dos humanos pensa que não sou nada sem ela, a internet, Net para os mais chegados. Aprendi muito com ela, nossos papos duravam horas, o único problema era que muitas vezes o papo nem começava, ela é tipo aquelas humanas instáveis, sabe, parceiro? Você está aqui com ela agora e, se vacila por cinco segundos, ela para de te dar atenção, e dá sempre a mesma desculpa de que "perdeu o sinal"! Como assim? Perder o sinal para o seu melhor amigo?

Cansei dessas desculpinhas, nossa amizade era legal, importante, considero ela de montão, mas a Internet, a bambambã, não me deu a devida importância. Várias vezes contei meus segredos a ela e o mundo todo ficou sabendo, isso para Net é supernormal, então a partir de agora deletei ela das minhas amizades, nosso contato é apenas comercial, nada de desabafos, confissões, dei control + x, deletei ela da minha vida pessoal, está na hora de buscar novas companhias e é por isso que estou aqui.

Deixa eu me apresentar, sou um aparelho móvel de comunicação, um celular. Nossa galera é identificada por número, letras e principalmente pela geração. Para você entender melhor, eu sou da terceira geração, é uma que já possui muitas melhorias e modernidades, não tantas quanto os poderosos celulares do momento, os metidões, aliás, parecem uma praga, nasce um novo modelo a cada segundo, mas ainda assim me considero um jovem celular.

Já moro com a mesma família de humanos há bastante tempo e, pode acreditar, isso é um milagre para a vida de qualquer um de nós. Acabo de ser promovido, vou te explicar: sabe aqueles filmes épicos que têm o grande rei, que guarda um objeto para entregar apenas ao filho, seu sucessor, no estilo joia preciosa, relíquia? Não relíquia coisa velha, relíquia coisa nova, entende? Esse objeto precioso sou eu. É, eu sei cara, é incrível!

;(;(;(;(;(;(;(;(;(

Tudo bem, tudo bem, vou te falar a verdade, não podemos começar nossa relação com mentiras, é que... Sou apenas um aparelho celular que não servia mais para o pai e quando não é o lixo, a reciclagem ou uma gaveta sombria, onde ficaremos apagados para sempre, somos doados para os filhos, no meu caso para o F-I-L-H-O, Vitinho, um garoto de 10 anos.

Hoje é o meu primeiro dia nessa nova função de celular de criança quase pré-adolescente.

O garoto ficou superfeliz, já havia me pedido ao pai dele um montão de vezes, mas estou aflito, porque já ouvi muitas histórias de celulares, colegas meus, para quem as mãos de uma criança foram seu túmulo. Foi por isso que comecei a compartilhar com você minhas angústias. Acho que preciso externar isso, colocar mesmo para fora, vou gritar:

:-O :-O :-O :-O :-O :-O :-O :-O

Como será minha vida? Se é que estarei vivo depois de hoje!

Até amanhã, amigão, talvez...

Repaginada no som
14 de abril

Amigão, olha que notícia boa: Ainda estou aqui! :-) :-) :-) :-) :-) :-) :-) :-)

Até agora...

Bem, deixar de ser o celular do pai para ser o celular do filho é uma mudança e tanto, a começar pelo gosto musical. Cara, eu saí dos ritmos tranquilos, que me acalmavam e que quase me colocavam para dormir. Muito raramente eram músicas dos dias de hoje, a maioria das canções que ele ouvia era do tempo do primeiro celular. Sério, do primeiro mesmo! Mas Vitinho não, ele encheu meu cartão com

um monte de músicas fantásticas, que deixam qualquer um ligadão. Conheci algumas delas hoje mesmo.

d(-_-)b d(-_-)b d(-_-)b, parece que não vai ser tão ruim assim estar nas mãos de um garoto, ele é muito mais animado!

:-D :-D :-D :-D :-D :-D :-D :-D :-D :-D :-D :-D

Ah! Nem te contei: outra coisa megalegal que aconteceu de ontem para hoje foi que fiquei acordado a noite toda, meu antigo dono ia no máximo até meia-noite, parecia que ele tinha feito um acordo com a fada da Cinderela, depois ele me enchia de horários para despertar e me abandonava. Aliás, ô povo que tem a programação ruim esses humanos, tudo é responsabilidade nossa, horário de remédio, de reunião, até o tempo do bolo no forno, da roupa na máquina de lavar, tudo é com a gente. O celular da vizinha com quem eu converso via Bluetooth, quando dá, me falou que ela colocou dez alarmes por dia na programação dele, isso é escravidão! :-((((:-((((Espero que meu atual dono não faça isso comigo.

Vitinho parece ser um bonzinho, saberemos!

Tchau, tchau!

Virose de celular
15 de abril

E aí, cara, beleza?

Comigo está tudo bem de-va-gar, estou me sentindo pesado, eu nunca estive assim antes, será que é vírus? Ou foi alguma bactéria das mãos de Vitinho? Elas estavam meio sujas ontem. Se bem que, quando eu era celular do pai, peguei vírus uma vez, ele assistia a umas séries que não eram para criança, pelo menos foi isso que a mãe de Vitinho falou na época, nem ela mesma tinha coragem de assistir, o garoto vivia pedindo o celular para brincar e ela não deixava o pai dar, acho que era coisa envolvendo monstro, esse negócio de terror de arrepiar as teclas.

Mas, se não me falha a memória, quando isso aconteceu eu fiquei melhor do que agora, estou ruim mesmo, me sentindo cansado, confundindo as funções, lento para responder aos comandos, acho que não vou conseguir nem terminar nosso papo de hoje, desculpa aí, amigão, depois te conto mais.

:-/ :-/ :-/ :-/ :-/ :-/ :-/ :-/ :-/

Fui!

Desabafo

18 de abril

Meu caro diário,

Deu para sentir o grau de fragilidade emocional de hoje?

:,-(:,-(:,-(:,-(:,-(:,-(

Pois é, estou simplesmente arrasado, eu sei que é um termo forte, mas é assim que me sinto, ainda bem que tenho você para desabafar, prepare-se para ouvir coisas absurdas.

Você deve estar pensando que sou péssimo em honrar a minha palavra, pois na nossa primeira conversa eu disse que nos falaríamos todos os dias. No entanto, fiquei sem sinais vitais por dois dias, estava no mais absoluto escuro, minha tela não enxergava nada à sua frente, imagina só, 48 horas no pior conto de terror que um celular pode viver! Compare tranquilamente esse episódio que vivi às mais terríveis solitárias já visitadas, ao mais extremo estágio de fome, pois fiquei sem energia, descarregado, você entendeu? **Descarregado**! :-x :-x :-x :-x

Toda vez que um celular fica descarregado é tipo um coma, e quando nossa bateria começa a receber alimentação é como enxergar a luz no fim do túnel, voltar à vida. Brother, com toda sinceridade, me dá vontade de chorar, foi muito desespero, nem todos os emoticons de carinha de choro de todas as redes sociais juntas descreveriam o que vivi. Quando um celular chega ao ponto de avisar que precisa carregar, é um pedido de socorro!

:,-((:,-((:,-((:,-((:,-((:,-((

Uma vez eu fui parar no conserto por uma coisinha boba, Vitinho era menor e o pai só percebeu que ele tinha me pegado quando ouviu a pancada "pow!" no chão. Aí trincou a película de vidro, elas são o nosso colete à prova de balas, nosso airbag, aliviam o impacto do perigo. Olha, diário, nunca contei isso para ninguém, nem mesmo para Net, confio em você! Quando cheguei na bancada do técnico para ele trocar minha película, eu tive a visão do horror, vários celulares "mortos", que foram parar ali porque estavam descarregados há vários dias, alguns há semanas, a única solução para que voltassem a viver era uma grande carga na bateria, algo parecido com um choque exagerado, pois o carregador convencional já não dava conta do estrago feito por causa da falta de alimentação, da falta de comida. Eu vi! Ninguém me contou, não! Essa tela que um dia a reciclagem há de usar foi testemunha! Aquele aparelho horroroso dando gargalhada de nossas telas, louco

para destilar sua energia exagerada, era da mesma família dos desfibriladores humanos, só que numa versão para celular, uma supervoltagem. Foi inacreditável! Assim que recebiam o choque, suas telas voltavam a brilhar.

Foi nessa cena que me imaginei o tempo inteiro, e tive medo. Quando ficamos descarregados, parece que entramos num sonho, ou melhor, num pesadelo. A única vez que um celular deseja estar nessa condição, e isso é unânime entre nós, é quando nossos humanos encontram algo horripilante por onde andam e querem filmar a situação nos usando para isso. Nenhum de nós aguenta principalmente a falta de solidariedade deles, às vezes a situação é um acidente, alguém precisando de ajuda e eles ficam lá, só preocupados em dizer ao mundo que estiveram ali. Ajudar que é bom, nada! Fico chocado com isso!

=O =O =O =O =O =O =O =O =O

Foi por isso que, quando o pai de Vitinho quis filmar um cachorro pendurado, quase caindo da ponte, eu apaguei, confesso que apaguei de propósito. Onde já se viu tanta maldade? O cachorro só precisava de alguém com um pouco de bondade e coragem no coração. Por causa disso levei uns tapas, como se isso fosse me fazer ceder àquele gesto sem coração. Net tem suas loucuras, mas me apresentou a algumas coisas boas da rede: me filiei à ONG Celular do Bem, na qual nenhum de nós filma, arquiva ou compartilha vídeos ou fotos de coisas ruins, principalmente se na situação retratada houver alguém precisando de ajuda. Os humanos não entendem por que nós paramos de repente. Se fosse para fazer uma ligação de socorro, tudo bem, mas filmar para se mostrar, não! Essa ONG possui o slogan "Não filme se você pode ajudar alguém!", e eu concordo plenamente com ele.

Voltando ao trágico descarregamento, me deixe explicar o motivo pelo qual eu descarreguei.

Lembra que na última vez que conversamos eu não estava me sentindo bem? Pois é, não foi só por uma noite que fiquei ligadão, Vitinho estava tão eufórico com a novidade de ter um celular só dele que conseguiu enganar os pais, jogando em mim por dois dias seguidos sem dormir. No primeiro dia achei o máximo, subir e descer construindo cidades e vilas, depois atacar os inimigos, e quando ele não estava construindo ia para a mina achar pedras preciosas. Assim que cansava, jogava futebol e vários outros jogos, mas logo depois de me despedir de você no dia 15 percebi que Vitinho tinha baixado uma enorme quantidade de softwares de jogo e, mesmo sendo um aparelho jovem e potente, eu... eu... não aguentei.

o.0 o.0 o.0 o.0 o.0

Começo a me perguntar: Será que tudo que um dia foi importante para nós em algum momento será descartado? Não queria admitir, mas ouvi várias vezes o meu ex-dono dizendo que eu não aguentaria as novas atualizações. Volto a dizer, eu sou um jovem celular, ainda posso ser usado, minha bateria está ótima, o que eles querem de nós? Os jovens aguentam tudo! Quer dizer, quase tudo.

O pior ainda estava por vir. A mãe de Vitinho descobriu o que ele fez, os pais dele não imaginavam que ele desobedeceria às regras sobre o meu uso tão cedo.

— Celular só até as 21h! — gritou ela ao me tomar das mãos de meu pequeno dono infrator. Logo em seguida, completou com a sentença trágica: — Vítor, você está sem celular por dois dias! Está proibido de carregá-lo!

Foi o que eu ouvi pela última vez, antes de apagar.

Com os cumprimentos de um celular ressuscitado, até amanhã, amigão.

Celular vai ao banheiro?
19 de abril

Olá, amigo!

Eu e Vitinho estamos refazendo a nossa relação, ele mais cauteloso e eu me recuperando do penúltimo susto. Por que penúltimo? Logo, logo você vai saber, mas antes quero lhe dizer que meu jovem corujinha está, até agora, obedecendo às regras, dormindo no horário certo, parou de insistir em me tornar obeso de jogos, desinstalou os programas em excesso, então agora estou mais leve, com apenas algumas novidades em joguinhos, nada muito exagerado.

Sabe qual foi a última de hoje? Não sei como os diários reagem a coisas nojentas, mas é bom se preparar, amigão!

Vitinho não larga mais de mim... Veja, não estou reclamando, sempre quis um dono que não me abandonasse, nem me trocasse pela primeira novidade que viesse à sua frente, mas, assim como em qualquer relação, tem que haver o respeito do espaço de cada um, não acha? Como ia dizendo, Vitinho me leva para todo lugar que ele vai, só que é todo lugar mesmo!

Diário, você já ouviu falar de algum celular que faz xixi? Que escova os dentes? Então, por que é que um celular é levado para o banheiro??!!

Será que algum humano já parou para se perguntar se seu celular gosta de entrar nesse lugar tenebroso?

Mano, achei que não viveria isso novamente, o pai do garoto, logo no início, quando estava viciado em redes sociais, fazia isso, mas amadureceu sua relação comigo e começou a estabelecer limites, entendeu que alguns momentos da vida eram para ser vividos sozinho. Na verdade, ele mudou de hábito depois de assistir a um documentário na TV que falava sobre a quantidade de bactérias que um aparelho celular pode adquirir se for usado no banheiro, mas não teve a sensibilidade de avisar o filho sobre as regras higiênicas do meu uso.

Quando percebi o odor e alguns sons do tipo pneu esvaziando, logo vi que estava em um lugar impróprio, tive a certeza quando a sequência de sons se intensificou, parecia que eu estava no meio de um concurso de gases tóxicos. Acho que nossos ancestrais nunca imaginaram que seríamos os substitutos das revistas para distrair os usuários de vasos sanitários.

:~| :~| :~| :~| :~| :~|

Quando Net queria me pirraçar, vivia jogando praga em mim, mostrando foto de celular que caía na privada e tal, já que muitos de nós são colocados nos bolsos das calças e esquecidos, aí na hora do dono abaixar a roupa para fazer suas necessidades fisiológicas, caímos. Acho que pior que o mau cheiro é mergulhar no lugar onde ele está. Sem comentários!

Quero esquecer que esse dia aconteceu, até porque tenho uma péssima lembrança sobre isso, perdi uma colega de loja de forma parecida, pois nem todo celular é à prova d'água. Naquela época, então, isso nem existia, foi depois dessa tragédia e de outras que aconteceram no mundo que eles surgiram. Bem, essa colega era minha vizinha de expositor, estávamos ali trocando mensagens, novinhos em folha, sendo desejados pelos clientes, fazendo planos para o futuro quando, de repente, a funcionária que fazia a limpeza da loja estava limpando o chão e colocou bem à frente da nossa bancada um balde com água, não sei como, mas ela se desequilibrou, bateu em nós e Lulu, como eu chamava essa colega, caiu no balde. Ela era tão frágil, tão linda, tão... Dei bandeira, não é? Confesso, Lulu foi o meu primeiro amor.

:-)' :-)' @-',---

Não teve jeito, ela nunca mais conseguiu sair da manutenção, pelo menos é nisso que prefiro acreditar. É por essas e outras que morro de medo de água, de banheiro, de piscina...

Até outro dia, cara, de preferência mais cheiroso!

Roupa nova
20 de abril

Olá, meu amigo!

Hoje começou sendo um dia muito legal. Até que eu estava precisando, afinal, depois de ontem, eu merecia algo especial, e adivinha o que aconteceu?!

Banho de loja, cara! É isso aí, roupinhas novas para um celular merecedor!

:-" :-" :-" :-" :-" :-"

Pelo menos era o que parecia... Quando eu menos esperava, a mãe de Vitinho chegou toda animada, com uma voz suave, de quem queria agradar seu rapazinho obediente e falou:

— Meu bem! Olha o que a mamãe trouxe para você usar no seu celular, agora que está obedecendo aos horários de uso dele.

Meu amigo, quando ela falou isso, meus eletrodos fizeram festa dentro de mim, meu chip quase saiu do lugar, aquela alegria do tipo comer uma caixa de chocolate sozinho, acho que deve ser parecida. Até que enfim eu iria trocar de roupa, o pai de Vitinho me presenteava com umas geniais, coisa estilosa de verdade.

Quando Vitinho ouviu aquela frase, correu e foi logo abrindo a embalagem. No entanto, pela cara dele, cheguei a duvidar se o pacote que ele estava abrindo era uma capa para mim ou entradas infinitas de cinema, era sorriso de orelha a orelha. Para nossa tristeza, ela havia comprado uma capa como se fosse para ela própria, com cores berrantes, líquido

cintilante e até strass! Não sei quem ficou mais decepcionado, o menino ou eu. Tentando disfarçar sua decepção, Vitinho inaugurou a tal capinha, para meu desespero, é claro! Ainda bem que ninguém tirou foto desse momento, porque, se fosse parar nas garras de Net, eu seria a piada do século.

=p =p =p =p =p =p =p

Termino o desabafo deste dia vestido em uma capa que mais parece um esmalte com glitter, com orelhas e rabinho felpudo atrás, mas sem desistir de lutar por capinhas melhores, afinal, um verdadeiro celular não desiste nunca.

Até a próxima!

O mistério do suor
21 de abril

E aí, cara? Pronto para mais um dia?

Comecei logo de manhã refletindo sobre os humanos adultos e os humanos crianças, são muitas as diferenças. O tamanho das mãos é o que nós, aparelhos móveis, sentimos primeiro, mas fiquei me perguntando o motivo de as crianças não suarem, o pai de Vitinho suava pelo menos três vezes por semana, e era o único momento em que ele ouvia uma música mais cheia de energia.

Certa vez, conversei com Net e ela explicou que os humanos fazem atividades físicas e usam a música em nós com os fones para desestressar. Até gosto dos fones, mas fazem cócegas em mim. O ritmo acelerado da canção os tira do estado de preguiça e os ajuda a perder os quilinhos a mais e a relaxar.

Comecei a pensar no Vitinho e, nesses dias todos que estamos juntos, ainda não o vi suar, será que ele tem algum problema de saúde e não pode? Foi aí que escutei a voz de um coleguinha chamando-o no portão:

— Vitinho, vamos jogar futebol?

Sabe o que ele falou? Disse que não queria porque ia jogar no celular. Logo em seguida, a mãe aconselhou:

— Filho, você precisa ser criança, correr, sentir o vento no rosto, o suor salgado escorrer pelo seu corpo, mostrando o quanto você é saudável.

— Outro dia, mãe! — foi o que ele respondeu.

Fico imaginando, então, se eu pudesse ser criança. Às vezes, no modo de hibernação, que é quando economizo energia, fico sonhando em ser criança. Se de repente houvesse essa chance, eu correria, suaria e desfrutaria do privilégio de subir em árvores, desafiando os limites do meu corpo, sem falar nessa tal de bola, parece mágica, se a dos jogos digitais já é legal, imagine a verdadeira. Nessas horas é que eu queria minha própria fada madrinha, pediria pernas! Eu sei, você deve estar achando que estou desmerecendo minha própria classe, não é nada disso, se um boneco de madeira pode desejar ser um menino de verdade, por que um celular não pode? Não queria que ele me abandonasse, mas acho que o dia é grande e que há tempo para tudo, tempo para as brincadeiras de suar e tempo para as brincadeiras de digitar.

Do seu amigo, ainda de capinha de coelho rosa cintilante.

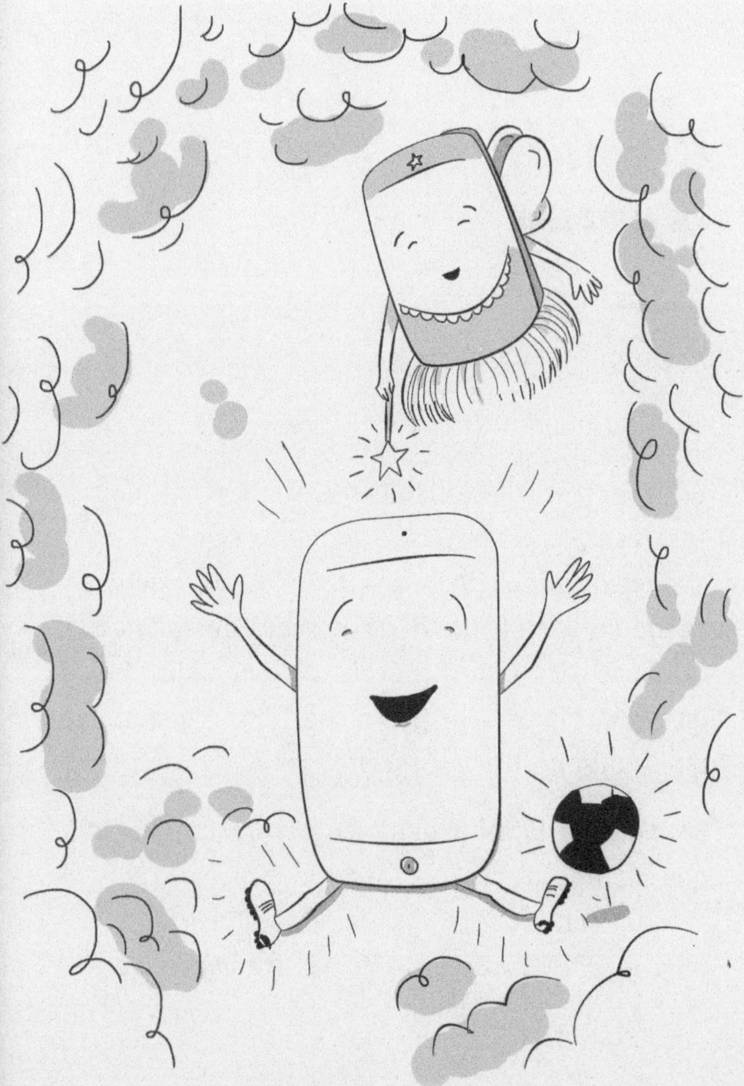

Celular vs. prova
26 de abril

Oi, meu amigo! Sentiu saudades?

Cara, nesses últimos dias eu quase pirei! Mais surpresas do mundo dos humanos que eu não conhecia, vários dias de proibição de celular, chegou a tal semana de provas, abstinência total de aparelhos móveis de telefonia. Por que nós temos que pagar por isso? O que é que eu tenho a ver com provas?

Os pais de Vitinho deram ordem expressa de que ele não podia me tocar para que estudasse com mais concentração. O pai desligou o wi-fi e, pouco antes de eu vir conversar contigo, Net soltou o verbo, esperneou e brigou, me culpando por terem desligado ela. Aquela teimosa não me ouve como você, é só quando ela quer, parece que vive em outro planeta! Ela deveria era agradecer, já que depois de tantos dias desligada foi reativada de novo, além de que foi para o bem do garoto. Agora, onde já se viu acusar os outros sem prova? Eu, hein!

Se a nossa relação já estava capenga, depois desse tapa no meu display ficou ainda pior. A única coisa boa nisso tudo é que ele tirou aquela capinha horrorosa de mim e colocou outra supermoderna, preta e prata, minhas cores prediletas.

Que sua noite seja tão alegre como a minha, de capa nova e tudo!

8-) 8-) 8-) 8-) 8-) 8-)

Tchau!

O grande campo de flores

27 de abril

Olá, diário!

Você já sentiu um peso em você? Hoje eu senti um peso tão grande em cima de mim que não conseguia nem vibrar para mudar de posição. A única coisa que conseguia ver era um enooorrrmmmeeee campo de flores bem na minha tela, e quanto mais eu tentava descobrir o que era aquilo, mais eu me espantava com a dimensão gigantesca que ocupava, parecia não ter fim. Quando eu já estava sufocando, ouvi a voz de Vitinho, ofegante, dizendo:

— Vó, a senhora sentou em cima do meu celular!

Ainda bem que ele chegou a tempo, ou a visitante da casa, a avó do garoto, Dona Quitéria, iria fazer pizza de celular!

Quando a "Senhora Campo Florido" ouviu o que o garoto falou foi logo pedindo ajuda para se levantar do sofá, pois não conseguiria fazer isso sozinha. Então comecei a compreender um pouco, é como se as avós fossem nossas gerações anteriores, no caso, se ela fosse um de nós, pela sua dimensão e peso, eu diria que seria da primeira geração. Quando Vitinho tentou levantá-la, não conseguiu, chamou sua mãe e os dois juntos conseguiram erguê-la com cuidado. Assim, consegui retomar o fôlego e me acalmar, mas nunca vou me esquecer da estampa daquela saia, jamais pensei que flores sufocassem.

{{{{(> _ <)}}}} {{{{(> _ <)}}}} {{{{(> _ <)}}}}

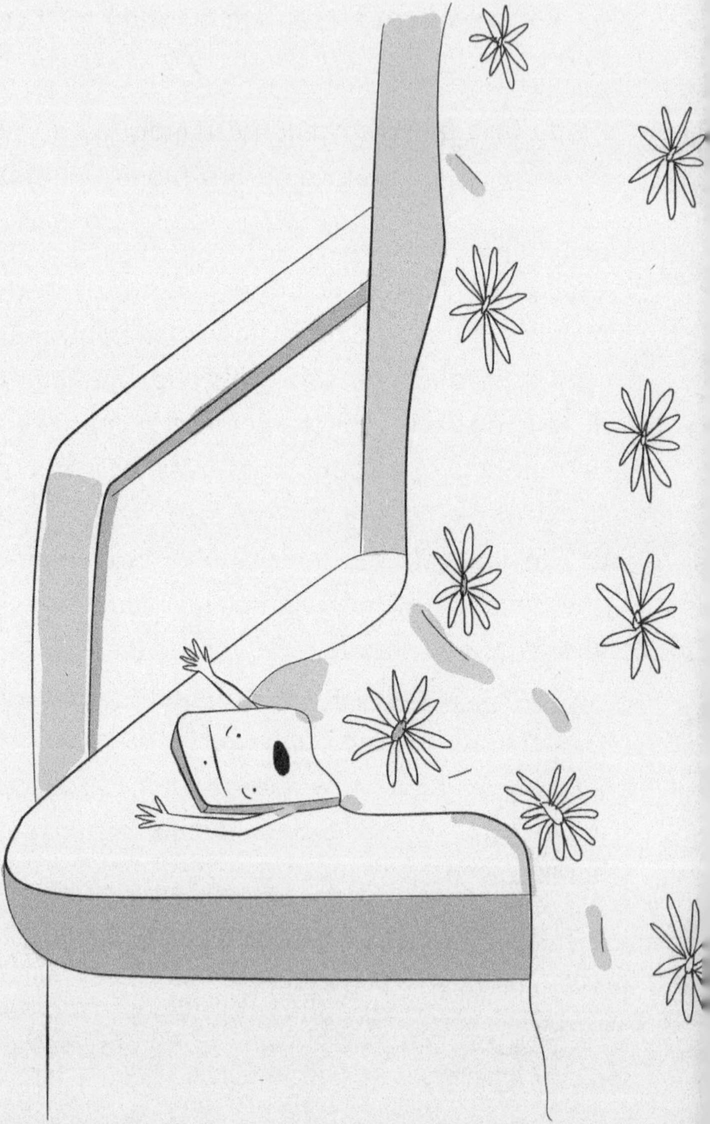

Logo em seguida, Vitinho me pegou e verificou se estava tudo bem comigo. A essa eu sobrevivi, mas continuo comparando essas avós humanas às gerações de celulares, pois mal Dona Quitéria chegou, já pediu para descansar um pouco no quarto de hóspedes. A bateria dela deve ser igual à do celular da antiguidade, que só durava uma hora, já a de Vitinho parece durar para sempre.

Aqui se despede um celular quase esmagado!

A conversa sem conversa

28 de abril

Meu caro amigo,

Voltei a viver hoje como nos velhos tempos, quando eu era do pai de Vitinho. Nessa época todos os dias nós saíamos de casa, ele ia trabalhar e eu aproveitava cada segundo fora. Era bom demais!

Então, hoje a família dos meus humanos resolveu almoçar fora para ter um momento especial com Dona Quitéria, que estava ali apenas para matar a saudade de sua filha, genro e netinho e iria embora no final da tarde. Achei muito gentil da parte deles pensar em algo assim. Todos se arrumaram, se perfumaram, estava cada um mais empolgado que o outro, pediram que a visita escolhesse o cardápio, sua comida predileta era massa, assim o destino da família foi uma cantina italiana.

Chegando ao destino, um lugar muito bonito, o garçom logo foi atendê-los, recebeu o pedido e, enquanto aguardavam, começaram a compartilhar momentos de suas vidas quando, de repente, cara, você não sabe o que aconteceu! Vitinho começou a jogar em mim, a mãe pegou seu próprio celular da bolsa – e que celular! Deve ser da última geração de celulares, parece um skate de tão grande – e, como se não bastasse, o pai sentiu o celular vibrando no bolso e o que era para ser só uma olhadinha tornou-se o momento mais importante da vida dele, e lá estava o meu rival, um celular que era ainda maior que o outro, se achando o maioral do pedaço. Os dois celulares não paravam de me encarar, olhavam com cara de nojo para mim, jamais vou esquecer as mensagens que trocamos, parecia que estávamos num buffet de agressões verbais. Logo que perceberam meu modelo, resolveram me humilhar mostrando seus aplicativos, seus sistemas operacionais, sua gigantesca e quase infindável lista de funções. Queria me esconder, afinal, achava que celular que era usado só para falar é que era ultrapassado, eu tenho mensagem de texto, câmera e Bluetooth, mas, comparado àqueles caras, me senti um nada.

X-(X-(X-(X-(X-(X-(

Depois que a fase de estranhamento passou, o que estava mesmo roubando minha atenção era o estado de Dona Quitéria, o tempo todo tentando iniciar uma conversa, mas ninguém lhe dava atenção, no máximo acenavam com a cabeça, como se fosse o suficiente. Meu amigo, pode acreditar, se eu fosse humano, poderia até dar atenção ao meu celular, mas nunca, jamais ignorar minhas gerações anteriores! Os humanos, no entanto, muitas vezes desprezam seus semelhantes por não saberem dosar seus impulsos. Nós, celulares, não temos nem a oportunidade de conhecer nossos antepassados, eles são excluídos assim que chega um novo modelo, é como se eles sacrificassem a vida pelos jovens, para que nós pudéssemos ter nossas poucas oportunidades de brilhar, ainda que por pouco tempo, até outra nova geração chegar. Essa é a lei da tecnologia, então a maioria de nós, falo isso pelo que aconteceu aqui, tem muito respeito e admiração por todos os aparelhos que vieram antes. E é assim que devemos agir, afinal, senti isso na capa hoje.

Após várias tentativas de estabelecer um diálogo com mais de duas palavras, a sorte de Dona Quitéria foi a chegada do tortellini de Bolonha, um prato muito harmonioso e apetitoso, que obrigou todos a usarem as mãos para outro fim que não fosse teclar em mim e nos outros colegas.

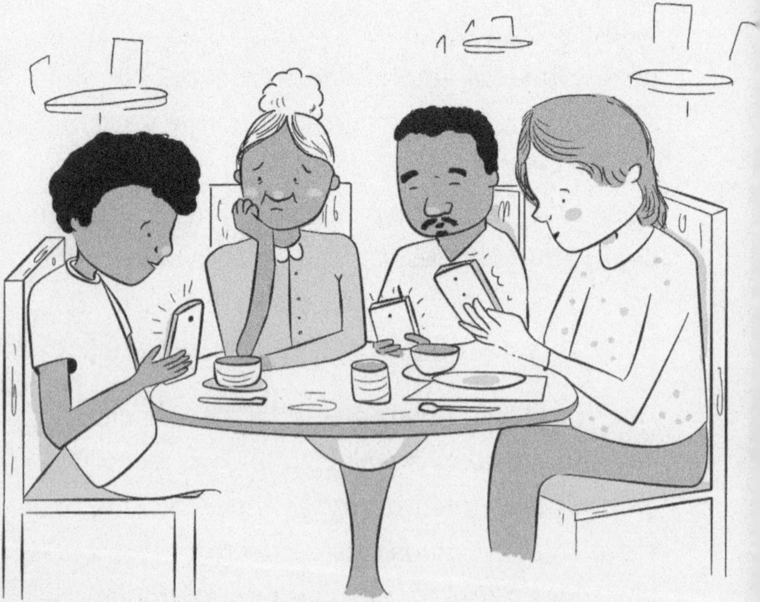

Passei a admirar as gerações anteriores dos humanos quando ouvi as palavras finais daquela senhora de roupa florida que antes quase me sufocou, mas que agora me emocionava.

— Foi muito bom ter estado com vocês, amei o almoço, foi maravilhoso, pelo menos sei que todos vocês estão com saúde.

Que educação! Se eu fosse ela, teria dito poucas e boas, mas Net já tinha me dito que nós, seres eletrônicos, não compreendemos esse tal de amor que os humanos sentem, acho que foi ele que Dona Quitéria usou para perdoá-los, ainda que eles não tenham percebido o quanto desperdiçaram a presença dela.

Só por hoje eu gostaria de ter uma avó para dar atenção... Me despeço de você, diário, sabendo que sou um aparelho móvel de sonhos impossíveis.

Até amanhã!

O início do fim
29 de abril

Oi, meu amigão!

É muito bom poder contar com sua amizade, teria sido bastante difícil ter apenas Net, que não é sempre que está disponível, ouvindo os desabafos da minha nova vida aqui nas mãos de Vitinho. Hoje não estou aqui para reclamar das mãos sujas de chocolate que ele coloca na minha tela, nem das vezes que pegou no sono comigo em suas mãos me deixando cair no tênis com o maior chulé de todos aos pés de sua cama, nem para falar das lambidas de cachorro que levei depois disso. Na verdade, sinto que se aproxima o temível dia em que terei que assumir minha verdadeira condição, a de não ser mais tão jovem.

Depois daquele jantar refleti muito, busquei em minha memória um arquivo especial, o de quando o modelo anterior a mim me cedeu seu lugar. Nesse dia pude ver em sua tela a honra que sentia, afinal, naquele tempo, não havia películas, nós éramos nós mesmos, transparentes e sinceros. Olhamos firmemente um para o outro e ele me confiou seu lugar, não houve inveja, nem tristeza, a sensação que tive foi de que ali reinava o respeito entre gerações, então preciso fazer a minha parte, esse momento está chegando.

>:-(>:-(>:-(>:-(>:-(

Quando Vitinho foi para a escola, lugar que raramente posso frequentar, senti que o pai dele me pegou, era como se estivesse se despedindo, usou palavras tão bonitas, mas uma delas me marcou: "Gostaria que não envelhecesse nunca, mas você não aguenta o ritmo por muito tempo." Chamou a mãe de Vitinho e comentou que o aniversário dele já estava perto e que já era hora de lhe dar um celular mais moderno, que coubesse mais jogos e coisas legais para garotos da idade dele. A mãe concordou, pois ouviu o filho dizer algumas vezes que queria ser youtuber, mas que não dava para fazer vídeos e efeitos modernos em mim. Ou seja, amigão, está chegando o momento de partir.

Vou digerir tudo isso...

:-< :-< :-< :-< :-< :-<

Até outro momento!

O sucessor

30 de abril

E aí, cara?

Eu, ah, eu ainda estou me acostumando com essa caixa de presente e esse enorme laço azul, isso mesmo, o aniversário de Vitinho é amanhã e meu mais novo substituto já está aqui, pela embalagem parece ser enorme, não quero estar aqui quando chegar a hora da troca, acho que vai ser doloroso, afinal, não pareço ser tão maduro como meu antecessor, além de não saber o que vai ser de mim...

:-e :-e :-e :-e :-e :-e

Tchau, tchau.

O grande sonho se torna real

01 de maio

Oi, meu confidente!

Você já ouviu dizer que nossa vida é uma verdadeira caixa de surpresas?

Não, não pense que continuo na casa de Vitinho. Antes mesmo de ele acordar, sua mãe colocou seu mais novo celular em cima da escrivaninha de estudos em seu quarto, eu realmente não era mais o que ele precisava...

Quando o garoto acordou e viu seu presente, nossa! Nunca vi tanta alegria, aliás, vi sim, ele tinha os olhos do pai quando me comprou na loja, olhos de euforia. É, seria muito egoísmo da minha parte querer que Vitinho tivesse sonhos que só coubessem dentro de mim. Era a minha vez de crescer por dentro, já que não tenho como crescer por fora, essa é a minha condição, sou esse modelo, com muito orgulho.

Foi então que olhei para aquele celular de última geração e confiei a ele os próximos dias de Vitinho, não tive muitas palavras bonitas para dizer, mas lembrei a ele que éramos passageiros, e que ele era agora a minha melhor versão.

Para a minha surpresa, ele respondeu:

— Obrigado por confiar em mim, não esquecerei que nossa vida é breve e vou tentar dar o meu melhor a ele, assim como você deu!

Cara, eu consegui aceitar quem agora sou, percebi também que nem todo celular de última geração é arrogante, muitos deles nascem para fazer a diferença.

Não fique com ciúmes, diário, mas refiz minha amizade com Net, dei um control + z em tudo, afinal ela faz parte da minha história, assim como você. Inclusive, confessei para ela aquele meu sonho de conhecer meus avós, minhas gerações anteriores!

:-) :-) :-) :-) :-)

Então, através de seus contatos, Net descobriu que esse lugar existe, e eu, sem demora, falei para ela que esse jovem celular aqui queria envelhecer lá. E, numa prova de verdadeira amizade, com as artimanhas que só ela tem, Net implantou um anúncio desse lugar nos sites mais visitados do pai de Vitinho e, no primeiro acesso dele à internet, foi a primeira coisa que viu e gostou muito, resolvendo assim me levar para lá.

Ele foi muito legal comigo, me colocou numa caixinha e me levou para um lugar no qual eu nunca tinha estado, teve até a decência de não tirar meu chip, só deu uma limpada nele e me levou ligado mesmo. No início achei que era pura crueldade, que ele estava chateado por eu não servir tão bem, mas percebi que a intenção era me ver vivo e pulsante para contemplar o que estou vendo agora. Assim que cheguei, um senhor, acho que da mesma geração de Dona Quitéria, me recebeu, tomando-me em suas mãos com um carinho que jamais tinha sentido. As últimas palavras do pai de Vitinho foram:

— Sei que cuidará bem dele!

Aquele senhor concordou, respondendo:

— Estou muito feliz, esse era o único modelo que faltava para completar a família.

Assim que meu primeiro dono saiu, eu e o homem de mãos ternas entramos para além da porta e, diário, sabe o que vi? O mais fantástico e incrível lugar de acolhimento para nossas gerações, quase buguei!!!

Só compreenderemos o hoje se valorizarmos o que já fizemos antes

(-D (-D (-D (-D (-D (-D (-D

Abri minha tela o máximo que pude e vi o grande pai de todos nós, o telefone de 1974, que possuía bateria para apenas uma hora. Ele estava ali, velhinho, mas bem! À medida que caminhávamos, eu parecia estar sonhando, via celulares ancestrais que pesavam quase um quilo. Cara! O primeiro telefone flip estava lá, isso era inacreditável, vários analógicos piscavam suas telas para me recepcionar, quando acreditei que nada poderia ser melhor que aquilo, o som de bips ecoou no ambiente, todos eles, como que batendo palmas, sonoramente me tranquilizavam dizendo que era ali o meu mais novo lar. Enfim, minhas gerações anteriores estavam todas reunidas.

O senhor de quem falei cuida de cada um aqui de maneira especial, sem nos desprezar por sermos pouco modernos. Para mim já havia um lugar preparado, ele me colocou lá, como quem coloca uma criança para descansar depois de uma longa viagem. E foi nesse momento que consegui ler o que havia no crachá que ele usava, seu nome "Martin" e uma linda frase que me explicou muito sobre aquele lugar: "Só compreenderemos o hoje se valorizarmos o que já fizemos antes."

Estou tão feliz, quero aproveitar cada momento aqui!

:*) :*) :*) :*) :*)

Como nunca, me despeço de você ciente do que sou e do que quero ser!

Até a próxima, meu amigo!